Nick
la main froide

François Tardif

la main froide

ÉPISODE 13

LA MONTAGNE SACRÉE

Illustrations de Michelle Dubé

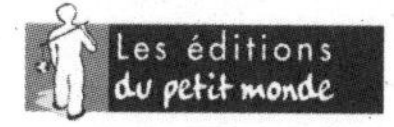

Les éditions du petit monde
2695, place des Grives
Laval, Québec
H7L 3W4
514 915-5355
www.leseditionsdupetitmonde.com
info@leseditionsdupetitmonde.com

Direction artistique : François Tardif

Révision linguistique
et correction d'épreuves : Josée Douaire
Conception graphique : Olivier Lasser
et Amélie Barrette
Illustrations : Michelle Dubé

Dépôt légal,
Bibliothèque et Archives nationales du Québec, 2009

Catalogage avant publication de Bibliothèque et Archives nationales du Québec et Bibliothèque et Archives Canada

Tardif, François, 1958-

La montagne sacrée

(Nick la main froide ; épisode 13)
Pour les jeunes de 9 à 12 ans.

ISBN 978-2-923136-18-9

I. Dubé, Michelle, 1983- . II. Titre. III. Collection: Tardif, François, 1958- . Nick la main froide ; épisode 13.

PS8589.A836M66 2009 jC843'.6 C2009-941359-0
PS9589.A836M66 2009

François Tardif est né le 17 août 1958 à Saint-Méthode au Québec.

Il a étudié en théâtre, en cinéma et en scénarisation. Auteur de la série télévisée *Une faim de loup* diffusée sur Canal famille et sur Canal J en Europe, il en interprète aussi le rôle principal de Simon le loup. Il est aussi l'auteur de nombreuses pièces de théâtre pour enfants, dont *La gourde magique*, *À l'ombre de l'ours*, *Vie de quartier*, *La grande fête du cirque*, *Dernière symphonie sur l'île blanche*, *L'aigle et le chevalier* et *Les contes de la pleine lune*.

Ces dernières années, il a écrit plus de 30 romans jeunesse dont *La dame au miroir*, *Espions jusqu'au bout*, *L'hôtel du chat hurlant*, *Le sentier*, *Numéro 8*, *Les lunettes cassées*, *Des biscuits pour Radisson*, *Pistache à la rescousse*, *Les jumeaux Léa et Léo* et bien d'autres encore.

En préparation; les 4 tomes des romans pour adolescents: *Klara et Lucas.*

Depuis quelques années, il plonge dans l'univers de Nick la main froide et prépare déjà l'écriture de ses prochaines aventures, dont *La coupe de cristal*, *Le dôme de San Cristobal* et d'autres histoires qui mèneront Nick et toute sa bande aux quatre coins de la planète. Plus de 36 épisodes sont prévus dans la série Nick la main froide.

* * *

Michelle Dubé est née le 5 septembre 1983 à Baie-Comeau.

Elle crée avec Joany Dubé-Leblanc la revue *Yume Dream*, dans laquelle elle publie ses bandes dessinées. Elle travaille aussi comme dessinatrice avec Stéphanie Laflamme Tremblay à une nouvelle BD.

Elle adore le dessin et l'écriture. Cela lui permet de s'évader et d'avoir une bonne excuse pour avoir l'air dans la lune. Durant ses passe-temps, en plus d'adorer la compagnie des animaux, elle dévore les romans en grande quantité. Collaboratrice pour Les éditions du petit monde depuis le tout début de la série Nick, elle continue à nous offrir les illustrations de tous les *Nick la main froide*.

Résumé de la série jusqu'ici

Nick a une main froide. Sa tante Vladana, alchimiste et sorcière, fabrique des parfums et des potions qui guérissent les gens. Un jour, elle entreprend la fabrication d'un élixir aux propriétés secrètes. Dans un livre très ancien qu'elle a exhumé d'un tombeau égyptien, elle trouve une liste de 360 ingrédients saugrenus. En réalisant cette potion, un accident se produit et Nick reçoit sur sa main droite un liquide inodore et invisible. Sa main a maintenant des propriétés insoupçonnées que Nick découvre au fil des jours. Son nouveau voisin, Martin, est le premier à comprendre que cette main est dotée de pouvoirs. À partir de ce jour, Nick et Martin deviennent d'inséparables amis et partagent tous leurs secrets. Béatrice Aldroft, une Américaine qui vient vivre au Québec pendant un an, se lie d'amitié avec eux. Ensemble, ils décident de changer le monde.

Dans l'épisode 7, Nick et ses amis ont appris que Vladana est immortelle. Cette révélation changera tout ce qu'ils entreprennent. Dans l'épisode 8, Martin, grand joueur de soccer, cherche à faire partie des White Wings, une équipe regroupant les meilleurs joueurs chez les douze ans et moins au pays. Grâce à l'aide de Nick, Vladana et Béatrice, Martin va puiser des ressources au plus profond de lui pour vivre cette expérience fantastique.

Dans l'épisode 9, *La neuvième merveille du monde*, Nick, Béatrice et Martin se retrouvent en possession d'une sculpture cassée en deux représentant un temple mystérieux et secret. En Égypte, deux jeunes, Mohamed et Mahmoud, trouvent la deuxième partie de ce temple en pensant qu'il s'agit d'un trésor. Ces deux sculptures et leurs énergies précieuses réunissent ces jeunes et les entraînent tous ensemble bien au-delà du monde connu.

Dans l'épisode 10, *Les gardiens du temps*, Nick et Béatrice se perdent dans les dédales des couloirs du temps pendant que Martin et son équipe de soccer courent de graves dangers lors de leur voyage en Égypte. Pour venir en aide à Martin, Nick et Béatrice doivent affronter les gardiens des grands mystères égyptiens, dont le sphinx lui-même.

Dans l'épisode 11, au milieu d'une interminable tempête de sable, Nick, Béatrice et Martin réussissent, après de multiples efforts, à atteindre le mythique temple d'Osiris. Ils y découvrent un secret précieux.

Dans le 12, Nick et Vladana donnent un coup de main au destin et aide à partager une énergie exceptionnelle qui génère encore aujourd'hui ses effets dans le monde.

Vous pouvez aussi lire :

Épisode 1 : *Les larmes du sorcier*
Épisode 2 : *Miracles à Saint-Maxime*
Épisode 3 : *Les espions*
Épisode 4 : *La boîte de cristal*
Épisode 5 : *La clef du mystère*
Épisode 6 : *Une sorcière à Salem*
Épisode 7 : *Le secret de Vladana*
Épisode 8 : *Le secret de la pyramide*
Épisode 9 : *La neuvième merveille du monde*
Épisode 10 : *Les gardiens du temps*
Épisode 11 : *Le temple d'Osiris*
Épisode 12 : *Le Phare d'Alexandrie*

CHAPITRE 1

Voyage en enfer

Nick est le premier à reprendre conscience. Son corps est tellement coincé qu'il arrive à peine à ouvrir les yeux. Sa bouche, son nez et ses oreilles sont remplis de terre. Quand il réussit enfin à entrouvrir légèrement les paupières, il se rend compte qu'autour de lui, c'est le noir le plus complet. Il essaie tant bien que mal de revoir tout ce qui s'est passé pour qu'il en arrive à cette situation mais plus rien ne lui revient en mémoire.

— Qu'est-ce qui m'arrive ? Est-ce que je suis mort ?

Douloureusement, il réussit de peine et de misère à bouger sa main froide. Une idée lui vient alors :

— Si seulement je peux étirer le bras juste assez pour que ma main froide touche à ma tête, mon cerveau se réveillera et je comprendrai ce que je fais ici !

Nick rassemble toutes ses forces et essaie de bouger sa main vers le haut. Il y a tellement de terre et de roches qui l'ont enseveli que sa main n'arrive à faire que deux ou trois centimètres en direction de sa tête. Selon son estimation rapide, il a au moins un mètre à franchir. Redoublant d'effort, il réussit à bouger sa main de haut en bas ou de droite à gauche ; il ne sait plus car dans sa position, il n'a aucune idée où se trouve le ciel ou la Terre. En fait, il sait qu'il est en-dessous d'une grande quantité de terre et de sable car il a beaucoup de peine à respirer.

Il continue donc à faire osciller sa main froide pour se creuser un chemin le plus rapidement possible car il le sent bien, le temps lui est compté. Dans quelques minutes à peine, il ne lui restera plus d'air à respirer.

— Mais qu'est-ce que je fais ici ? Que m'est-il arrivé ?

Soudain, il se rappelle son voyage en Égypte avec Béatrice, Martin et toute l'équipe de football du Canada.

— Vladana était là aussi, se remémore-t-il. Nous avions le petit demi-temple et nous l'avons joint à l'autre qui avait été trouvé dans le sarcophage du pharaon

Aménophis 1er. Et là, ensuite… un chemin secret qui menait, qui menait…

Nick lutte de toutes ses forces pour se rappeler encore plus les événements, pour comprendre comment il a pu se retrouver dans cette fâcheuse position.

— Il faut que je sorte d'ici; il faut que ma main froide rejoigne ma tête.

Il continue donc à bouger sa main et commence à creuser un passage. Curieusement, plus il creuse avec sa main en direction de sa tête, plus il reçoit de la terre dans les yeux.

— Cela veut dire que j'ai la tête en bas. La terre tombe de ma main vers ma tête. Il faut que je creuse vers le haut, vers mes pieds. J'ai été enterré sous terre mais la tête en bas. J'ai dû tomber dans un trou.

Nick, en comprenant qu'il se trouve en position verticale inversée, vient de sauver sa vie. Il aurait pu creuser au-dessus de sa tête pour tenter de regagner l'air mais il se serait enfoncé davantage.

— Bon, je vais creuser vers mes pieds mais auparavant, il faut que ma main froide rejoigne ma tête! Je saurai ce qui m'arrive! Ensuite, je retrouverai l'air libre!

* * *

Nick ne le sait pas encore mais cela faisait au moins vingt-quatre heures qu'il avait disparu dans un tremblement de terre provoqué par le vol de la boule de feu du Phare d'Alexandrie. Ce séisme n'avait été ressenti par personne en Égypte car ce temple est situé au plus profond de la Terre, dans une zone interdite et si difficile d'accès que personne ne sait où cela se trouve. Dans les régions habitées, rien n'a été ressenti.

Monsieur Hamid ainsi que les parents de Mohamed, de Mahmoud, la mère de Martin et tous les gens présents en Égypte pour ce voyage ont sur le champ été alertés de leur disparition.

— Cinq enfants viennent de disparaître, titrent tous les journaux du monde. La tante de Nick Migacht, un petit Canadien, manque aussi à l'appel. Marc-Olivier Allart, alias Baktush Amar, le père de Martin Allart est même soupçonné d'enlèvement dans cette affaire. Il n'en est pas à ses premières frasques et ici, en Égypte, il a déjà été banni du pays pour son comportement étrange. La police est sur les dents. Des pistes semblent déjà donner des résultats.

Voilà ce que disent les reportages alors qu'en fait, aucune piste n'est encore envisagée pour entamer les recherches. Tout le monde ignore que le petit groupe s'est rendu dans la nuit tout près des pyramides pour suivre la piste du petit livre noir et du temple miniature. On a retrouvé la jeep louée par Vladana tout près du monument du Sphinx mais autour, aucune trace d'eux. Le vent avait soufflé dans le désert cette nuit-là, effaçant par le fait même leurs traces mais comment ont-ils tous pu se volatiliser ? se demandent les enquêteurs.

C'est Leïla, la mère de Martin, qui a tout de suite semé le doute auprès des enquêteurs car son ex-mari ne semble pas avoir toute sa tête par moments. Depuis la veille au soir lors de la grande fête, il était disparu.

— C'est lui qui les a sûrement enlevés ! répéte-t-elle à ses interlocuteurs. J'ignore la raison mais il les a emmenés au creux des pyramides. Il a toujours voulu chercher un mystère là où il n'y en a pas.

Leïla a ensuite donné plein de détails sur les comportements violents et bizarres de son ex-mari même avant la naissance de son fils alors qu'ils vivaient en Égypte. Baktush Amar, alors joueur de football pour l'équipe nationale du pays, avait toujours souhaité que l'équipe se rende jusqu'en Coupe du monde pour gagner la Coupe de Cristal. Cette Coupe, disait-il à tout le monde, donne des pouvoirs incommensurables à qui la gagnera. Leïla l'avait vu lire tout ce qui s'écrivait ou se disait à propos de cette Coupe et de son histoire. Cela l'avait rendu presque fou. Après une visite importante au cœur même de la pyramide de Khéops, le comportement de son mari avait commencé à changer du tout au tout. Il était devenu agressif et il rencontrait en secret des gens mystérieux. Il s'était progressivement désintéressé du football pour ne viser que la quête de cette Coupe qui, selon lui, gisait au fond d'un tunnel sous la pyramide. Leïla avait donc demandé la séparation alors qu'elle était enceinte de Martin et avait tout fait en son pouvoir pour ne plus le revoir. Puis, il était revenu dans leur vie et avait même offert un petit livre noir à son fils ainsi qu'une sculpture.

— Voilà où tout cela nous a menés ! pleure Leïla.

Leïla raconte tout cela et les journaux se gavent de toutes ces nouvelles sensationnelles. Pourtant, rien de tout ce qu'elle dit ne guide les recherches vers la découverte des disparus.

Où sont les enfants ? Où est Vladana ? Où est le traître Baktush Amar ? Pourquoi veut-il enlever son enfant et ses amis?

Tant de questions et si peu de réponses. L'entraînement s'est complètement arrêté et tout le monde relié au football s'est mis à spéculer et à rechercher les jeunes. En moins de 24 heures, le monde entier est en alerte et l'Égypte fait de ce cas un cas personnel.

— Les jeunes Canadiens seront retrouvés vivants, annonçent les autorités égyptiennes dans tous les médias, et ils pourront continuer à vivre leur amitié avec nos petits Égyptiens.

Tout cela a été provoqué par l'intrusion de Rohman sur les lieux sacrés et secrets du temple d'Osiris. Rohman est vivant et il se terre maintenant dans une petite maison d'Alexandrie, la boule de feu du Phare d'Alexandrie installée dans une pièce. Il l'admire et se demande quelle sera sa prochaine étape.

Rohman a tout réussi jusqu'ici. Il a attiré Baktush Amar dans ses filets en lui promettant de l'aider à remporter la Coupe de Cristal, il y a de cela une bonne douzaine d'années. Ce jeune joueur exceptionnel avait été sa première victime du sérum de lézard. Il lui en avait administré en si petites doses et de façon si subtiles que jamais personne, ni Baktush lui-même, ne s'était douté qu'il était intoxiqué, empoisonné, mystifié et hypnotisé par lui. Rohman sait qu'un jour, son plan aboutira; il va alors faire souffrir les humains en les menant par le bout du nez. Cela est assez facile mais il veut que tout cela dure et il a compris que la Coupe de Cristal lui donnera la vie éternelle. Alors seulement, il pourra dominer le monde à sa façon.

Curieusement, depuis qu'il est redevenu seul, il ressent la peur. Il a laissé la boule de feu dans une chambre alors qu'il a dormi dans une autre. Toute la nuit, il a entendu la boule de feu qui tournoyait entre les murs et qui lançait une musique étrange comme si des fantômes voulaient s'exprimer. Il a mal dormi et plusieurs fois, il a ouvert la porte de cette chambre. Invariablement, la boule de feu était par terre, peu brillante, presque fade, comme si elle souffrait. Puis, quand il refermait la porte, les sons étranges, les musiques lugubres, les bruits incessants, tout cela recommençait et le harcelait.

— Mais peu importe, elle est à moi et personne ne me l'enlèvera. J'apprivoiserai cette énergie et elle me donnera l'accès au pouvoir suprême: la Coupe de Cristal !

* * *

— Encore un seul mouvement comme ça et ma main froide touchera à ma tête ! se dit Nick qui ne pense à rien d'autre qu'à son objectif premier, c'est-à-dire reprendre tous ses esprits. Ensuite, se répéte-t-il, je sortirai d'ici !

L'air se raréfie et le temps est compté. Enfin, sa main froide rejoint sa tête et pendant au moins deux ou trois minutes, Nick arrête de bouger. Il se rappelle de tout : le chemin tracé par le père de Martin, le labyrinthe, la première porte qui s'est ouverte, la poursuite de Rohman, la deuxième porte qui s'ouvre, leur visite au temple d'Osiris, le voyage dans le temps, l'installation de la boule de cristal dans le Phare d'Alexandrie puis le retour par la porte et soudain, tout s'écroule.

— Quelque chose me manque dans tout cela, se dit Nick. Mais l'important maintenant est de retrouver tout le monde.

Il continue donc à creuser en direction de ses pieds et en moins de trois ou quatre minutes, il perçoit des coups sous ses pieds !

— Quelqu'un creuse ! se dit-il.

Cela le pousse à accélérer le tempo. Ses jambes sont de plus en plus libérées et il commence donc à cogner aussi. Il donne trois coups, écoute. Il entend trois coups. Il en donne deux puis en entend deux…

— Je suis sauvé ! se dit-il.

Cela lui donne un regain d'énergie… il redouble d'effort et creuse rapidement.

En moins de deux minutes, il reconnaît la voix de Marc-Olivier, le père de Martin, qui l'aide à se libérer. Marco l'aide à sortir de sa mauvaise position et l'installe dans la grotte.

— Où sont les autres ?

— Je ne sais pas, Nick. Il faut continuer à chercher et vite car très bientôt, il ne restera plus d'oxygène pour personne. J'ai entendu du bruit par là. Viens, aide-moi !

Nick aide Marc-Olivier de toutes ses forces. En creusant, Marco lui dit :

— Nick, je suis désolé, tout cela est de ma faute. Cela fait douze ans que j'obéis à ce fou de Rohman ; j'ignore pourquoi mais je l'ai aidé à voler la boule de feu du Phare d'Alexandrie.

— Quoi ?

— Oui et ensuite, il m'a jeté par terre pour me laisser mourir dans cette tempête que ce vol a provoquée !

— Rohman détient la boule de feu ? À cause de toi ?

— Oui !

— Nous sommes dans de gros problèmes. Mais auparavant, il faut retrouver tout le monde !

Ils entendent des coups de pieds et continuent à creuser dans cette direction.

* * *

Vladana se retrouve enfin face à l'homme-lion. Durant la tempête provoquée par le vol de la boule de feu, elle a réussi à se protéger en créant une couche de cristal autour d'elle à l'aide d'une petite salamandre qu'elle avait pris soin d'apporter avec elle. Elle a réussi à saisir bien solidement la main de Béatrice et l'a ainsi protégée de cette tempête de sable.

Quand la colère des dieux eut terminé sa réaction, Vladana et Béatrice se sont retrouvées coincées dans la grotte. Tous les autres étaient disparus sous la Terre. Il n'y avait plus aucune ouverture dans la grotte, plus aucune porte, ni vers le temple d'Osiris (la deuxième porte), ni vers les sites archéologiques situés tout près des pyramides (la première porte). (Lire *Nick la main froide épisode 12 ; Le Phare d'Alexandrie*).

Au centre de la grotte, l'homme-lion (Lire *Nick la main froide épisode 10 ; les gardiens du temps*), le sphinx lui-même, était assis et faisait brûler un tout petit feu de bois.

— Asseyez-vous, mesdames ! dit le sphinx très calmement.

— Vous savez où sont les gars ?

— Oui. Nick est là, la tête en bas à deux mètres sous terre, Mohamed est emmêlé avec Mahmoud de ce côté, à peine à deux centimètres mais ils creusent dans la mauvaise direction et ils se disputent sans arrêt. Martin, lui, s'est retrouvé sain et sauf dans les galeries qui vous ont menées ici. Il explore et il cherche tout le monde. Il les retrouvera dans exactement douze minutes et il leur parlera des beautés qu'ils viennent de trouver sous la pyramide. Ils ne le savent pas mais ils sont prisonniers ici et ils auront beaucoup de difficultés à s'en sortir, à moins que vous ne soyez très courageuses. Dans moins de trois secondes, vous allez apercevoir sur votre gauche Marc-Olivier Allart, que je préfère appeler Baktush Amar, qui émergera de sa mauvaise position.

Le sphinx dit tout cela très calmement en continuant d'attiser son feu. Vladana se rend compte à l'odeur que le sphinx cuisine présentement un petit bouilli de légumes, pense-t-elle.

Marco débouche effectivement de la Terre où il était engouffré. Il se secoue et hume la bonne odeur. Vladana va le retrouver et lui dit :

— Marco, ça va ?

Marco ne lui répond pas, ne la regarde pas et passe même à travers elle.

— Vladana, dit Béatrice un peu paniquée, qu'est-ce qui se passe, tu es un fantôme ou quoi ?

En affirmant cela, Béatrice se retrouve face à face avec Marco qui ne la voit pas et passe aussi à travers elle.

— Moi aussi, je suis un fantôme !

Marco se dirige vers le petit plat. Le sphinx s'approche de son oreille et lui souffle :

— Mange, mange, tu en auras besoin... ensuite, tu fouilleras et creuseras dans cette direction...

Le sphinx se dirige vers un point très précis et dessine un petit X par terre. Marco regarde vers le sol à l'endroit précis où l'homme-lion a fait un X. Il s'approche, tend l'oreille et dit tout haut :

— J'entend respirer, il y a quelqu'un !

Il se presse d'aller manger une petite bouchée en repassant à travers Béatrice puis il court chercher une roche effilée dont il se sert pour creuser à l'endroit précis où le sphinx lui a suggéré de le faire.

— Ne vous inquiétez pas tout de suite pour eux. Ils se retrouveront tous, je m'en occupe, déclare Marco.

— Mais nous, pourquoi ne nous voient-ils pas ? demande Béatrice.

— Vous êtes expulsés du monde de cristal, Vladana. En effet, Mary et vous perdez tous vos privilèges. Vous avez introduit le pire cauchemar du monde jusqu'à la source de la vie au temple d'Osiris. À cause de vos imprudences, Rohman est entré là ! Il a maintenant en main la destinée du monde. Surtout, s'il met la main sur la Coupe de Cristal. Alors, vous serez tous perdus. La malédiction sur vous peut être terrible mais vous détenez encore la possibilité de tout réparer. Mary a choisi son époque, elle est retournée au moment où la boule de feu a été volée pour rassurer tous les humains que les dieux ne les abandonnent pas vraiment, telle est sa mission. Vous n'avez qu'à choisir l'époque de votre choix et vous y retournez tout de suite. À vous de regagner vos pouvoirs en utilisant vos connaissances. Vladana, vous ne pourrez plus utiliser le monde de cristal jusqu'à nouvel ordre. Votre devoir consiste maintenant à empêcher Rohman de s'approprier la Coupe de Cristal. Cette Coupe est plus forte, plus puissante que tout ce qu'il y a sur la Terre, la boule de feu, elle, agit comme un aimant… elle mènera Rohman vers la Coupe de Cristal. Il faut intervenir puisque Rohman a tout en mains pour se l'approprier. À vous de jouer !

— Qu'est-ce que je fais avec les jeunes ? demande Vladana, toujours très respectueuse avec le sphinx.

— Choisissez votre époque, vous partez dans dix secondes !

Vladana saisit une roche et dessine rapidement deux ailes d'ange espacées d'un mètre environ. Elle pose sa main droite et son pied par terre pour laisser une empreinte dans le sol couvert de sable. Elle invite rapidement Béatrice à faire de même.

— Très ingénieux, Vladana. Je pourrais tout effacer et vous empêcher d'utiliser les anges mais cela rassurera les jeunes. Quelle époque choisissez-vous ? Ici, dans la grotte, vous êtes hors du temps… je vous retourne sur la Terre dans quatre secondes.

Vladana se précipite tout près de Marco et lui souffle à l'oreille :

— Béatrice et moi revenons vous chercher sous la pyramide ! Rendez-vous là-bas !

— Deux secondes !

Vladana dessine une pyramide par-dessus les empreintes de leur pied.

— Une seconde !

— Béatrice, viens vite !

Béatrice court vers Vladana et lui prend la main... aussitôt, le sphinx se lève et au moment où il souffle vers elles, Vladana déclare très fort :

— Soyez béni, sphinx, de nous permettre de retrouver toutes nos forces... Nous choisissons l'époque d'aujourd'hui.

— C'est votre choix ! dit le sphinx qui se met à souffler de plus en plus fort.

Un mur de la grotte s'écroule et laisse sortir les filles vers le site archéologique de monsieur Letourneur.

— Nous sommes de retour à l'air libre, dit Vladana.

— Mais nos amis sont prisonniers ! dit Béatrice en regardant Marco qui creuse dans la grotte en essayant de libérer Nick. Tout doucement, l'image de la grotte disparaît.

— Viens, il faut trouver ce signe des deux ailes. Il n'y a pas seulement que le cristal ou les samlamandres qui nous mènent sous la pyramide hors du temps, il y a le courage infini et la foi.

— Quoi ?

Vladana se dirige allègrement vers les fouilles archéologiques où la veille, l'équipe de monsieur Letourneur a enfin retrouvé tous les vestiges du Phare d'Alexandrie.

* * *

Nick étire sa main froide et réussit à toucher du bout des doigts la main de Martin. Celui-ci les a enfin retrouvés. Ils dégagent le mur de sable qui a bouché le passage entre le labyrinthe et la grotte.

Martin, Nick, Mohamed, Mahmoud et Marco se retrouvent enfin et se serrent fort dans les bras. Ils sont heureux d'être en vie. Ce qui les rassure encore plus est de déchiffrer le message que Vladana et Béatrice leur ont laissé et qui signifie : rendez-vous sous la pyramide.

— Pourquoi ne sont-elles pas restées ici pour nous attendre ?

— Je crois qu'elles ont été expulsées hors de ces murs ! dit Marco. Et tout cela à cause de moi...

Le sphinx continue à souffler certaines réponses aux oreilles de Marco. Celui-ci, très honteux, explique à tous que c'est lui-même qui a introduit Rohman sur le lieu sacré du temple d'Osiris.

— Je crois que Vladana et Béatrice paient pour cela et nous aussi, par conséquent.

— De toute façon, papa, tu es enfin débarrassé de ce Rohman. Tu es avec nous maintenant. Peu importe le passé, on doit maintenant sortir d'ici et aller la gagner cette fameuse Coupe de Cristal, que Rohman se mette sur notre chemin ou non ! Venez ! J'ai eu le temps d'explorer et j'ai vu des choses intéressantes. Nous sommes libres, je crois !

Le sphinx les laisse aller. Pour une fois depuis très longtemps, il a confiance en ces humains. Du moins à certains d'entre eux. Il y a tellement eu de trahison de la part de ceux qui cherchent avant tout à s'approprier l'or et le pouvoir au lieu de comprendre les enseignements de paix et d'harmonie qu'il souhaite transmettre aux hommes. Mais, il ne le sait trop que trop bien, chaque homme est libre. Même s'il est le dieu le plus puissant de l'univers, il ne peut choisir à leur place.

CHAPITRE 2

Deux ailes d'ange

Vladana vient de retrouver monsieur Letourneur, l'archéologue français qui s'affaire à nettoyer un des gros blocs de pierre que son équipe a réussi à retirer de la mer.

— Bonjour, Vladana ! dit monsieur Letourneur sans même interrompre son travail minutieux.

— Tu le connais ? demande Béatrice.

— Vous aviez raison et tort en même temps, madame Loutchinski, dit monsieur Letourneur à Vladana.

— Je sais que les choses ont changé… que le cours de l'histoire a été modifié !

— Vous m'aviez dit que la boule de feu était encore là et que si je la retrouvais, cela pourrait recommencer à servir toute l'humanité !

— Malheureusement, nous ne sommes pas les seuls qui souhaitions retrouver cette boule ! dit Vladana en pensant à Rohman.

— Tout cela est vraiment étrange. J'ai donné toute ma vie pour retrouver cette fameuse boule de feu qui devait se trouver dans le Phare d'Alexandrie. Vous m'avez indiqué l'endroit où fouiller et j'ai effectivement trouvé le fameux Phare. Je vous en remercie ! Après des années et des années de recherche, je l'ai retrouvé au fond de la Méditerranée. Hier, pendant le temps de votre disparition dans le désert (Lire *Nick la main froide épisode 12 : le Phare d'Alexandrie*), j'ai retrouvé cette boule de feu comme la légende le mentionnait. Cette boule de feu avait guidé tant et tant d'hommes. Quand on l'a retirée des décombres, je l'ai tenue dans mes mains. Vous aviez raison, j'ai ressenti une force et une puissance digne des dieux. Je me sentais plus fort que tout. J'ai perçu hier que si je voulais, je pouvais conquérir le monde. J'étais prêt à appeler les journaux du monde entier pour devenir célèbre. J'allais reconstruire le Phare d'Alexandrie, je serais l'archéologue le plus célèbre du monde... avec cette boule entre mes mains, tout allait devenir si grandiose. Puis, je ne sais trop ce qui est arrivé... sans doute que ma folie a tout détruit. La boule de feu est devenue noire et sans vie, en un instant. Autour de moi, une tornade s'est levée, du sable m'a entouré et m'a presque enterré. J'ai tout raté à cause de ma folie des grandeurs. Le Phare d'Alexandrie et sa lumière divine ne brilleront plus sur le monde comme je l'avais souhaité !

— Vous n'êtes pas fautif, monsieur Letourneur. Vous avez raison de craindre la force de cette boule de feu. Mais il est peut-être trop tard, quelque chose de très grave s'est produit hier dans le désert. Des hommes sont entrés dans le temple d'Osiris.

— Ce temple existe-t-il vraiment ?

— Il existait mais peut-être est-il maintenant détruit.

— Et qu'est-ce que ces hommes ont donc fait ?

— Ils ont volé la boule de feu du Phare d'Alexandrie, il y a plus de 700 ans ! Et cela a changé le cours des choses jusqu'à aujourd'hui. Dans ce lieu, on peut tout changer, toujours. L'histoire peut toujours être changée. Ce sont leurs folies qui vous ont empêché de réaliser votre rêve.

Monsieur Letourneur regarde tout ce que son équipe et lui ont réussi à ressortir de la mer. Il s'approche d'un immense bloc de pierre.

— Regardez, tout n'est peut-être pas perdu. Sur un des blocs que nous avons sortis des décombres, des inscriptions hiéroglyphiques assez spéciales sont apparues. Hier encore, rien de tel n'y était dessiné et après que la boule de feu se soit éteinte, ces inscriptions se sont incrustées dans la pierre comme par magie.

Vladana regarde attentivement et y décèle un sigle qu'elle reconnaît : deux grandes ailes reliées par un cercle.

— J'ai déjà vu cette inscription ! dit Vladana.

— Béatrice, dit Vladana tout bas à sa jeune complice, cette pierre représente le cœur de la bibliothèque d'Alexandrie. En son centre, il y a un passage très mince qui peut me donner accès aux mondes de l'Égypte ancienne... sans utiliser le cristal.

— C'est un signe très rarement utilisé par les Égyptiens. L'aile est utilisée habituellement pour parler... intervient monsieur Letourneur.

— ... aux dieux ! Ou aux anges ! complète Vladana.

Elle sait que peu de personnes ont réussi à utiliser ce passage vers le monde de la bibliothèque d'Alexandrie. Grâce à son immortalité, elle aurait pu traverser le cristal au milieu des ailes d'ange mais maintenant, elle ne pourra atteindre la bibliothèque que si elle y croit très fort.

Dans cette bibliothèque universelle, tout est consigné dans des livres qui renferment des tonnes d'information en sons et en images. Tout y est classé. Toutes les pensées de tous les êtres ayant vécu sur cette Terre sont consignées dans des myriades de milliards de livres.

Vladana sait comment pénétrer dans cette bibliothèque... même sans cristal. Elle demande à monsieur Letourneur et à Béatrice de s'éloigner.

Vidant son esprit de toutes pensées, elle n'inscrit dans son cerveau que les mots suivants :

« Lumières du monde,

Ouvre ta porte à mon esprit

Car mes intentions sont pures.

Toutes les vies, toutes les pensées

Peuvent vibrer et briller de tout leur éclat.

Jamais je ne juge.

Jamais je ne brise.

Jamais je ne détruis.

Lumières du monde,

Ouvre-moi ta porte

Et éclaire mon esprit. »

Vladana répète à l'infini cette poésie. Elle la chante en dansant autour de la pierre, s'imprégnant de la musique créée par ses mots et ses pas. Quand toutes les autres portes de son cerveau se sont refermées pour ne laisser la place qu'à ces mots, Vladana, sans même réfléchir, fonce tête première et plonge dans la pierre, entre les deux ailes, traversant le monde physique vers l'infini. Le corps de Vladana virevolte et glisse au milieu de mille toiles d'araignées. Tout est noir autour d'elle. Plus noir que la noirceur des soirs sans lune. Plus noir encore que le noir qui sévit au fond des grottes. Si noir que le souvenir de toute lumière s'éteint dans le cerveau de Vladana, transformant cette dame immortelle en toile d'araignée, puis en liquide visqueux qui continue de s'écouler dans un environnement sans force gravitationnelle, ni vers le haut, ni vers le bas. Toute pensée, lentement, s'éteint. Vladana s'éteint. C'est Béatrice toutefois qui rallume la lumière en rejoignant Vladana. Elle a plongé entre les deux ailes avec tant de force qu'elle accroche Vladana au passage, l'extirpe de ses toiles d'araignées et l'entraîne plus loin, au milieu d'une pièce toute vitrée qui brille très fort.

— Tu es venue ? constate Vladana.

— Tu ne croyais tout de même pas que j'allais te laisser voyager seule ? J'adore voyager ! Bon, où sommes nous ?

Monsieur Letourneur se demande d'ailleurs où elles sont passées. Il sent bien que, comme le mentionne la légende, ces pierres recèlent de multiples facettes magiques. Mais comment ont-elles fait pour disparaître ainsi ?

Vladana serre très fort Béatrice dans ses bras. Une larme glisse sur sa joue. Béatrice n'a jamais vu cette dame, habituellement si calme, dans cet état.

— Merci... Merci Béatrice pour ta folie, ta détermination, ta persévérance... sans toi, je serais peut-être demeurée dans cette noirceur, ce vide glacial. Jamais, je n'ai ressenti cette sensation depuis que j'existe. Sans toi, je serais restée là, je crois. J'ai senti le froid sur mes épaules !

— Chut ! Chut ! dit Béatrice. C'est fini.

— C'était comme mourir, peut-être ? dit Vladana.

— Oui... Peut-être ! Je pensais que tu ne mourrais jamais, que tu étais éternelle.

Béatrice serre très fort Vladana qui, pour la première fois, a ressenti la vulnérabilité. Puis, voyant que Vladana reprend tous ses esprits, Béatrice observe autour d'elle.

— Où sommes-nous?

— Nous sommes dans la bibliothèque d'Alexandrie.

— Elle n'a pas brûlé ?

— Oui… et non ! La bibliothèque d'Alexandrie avait deux sections. Une sur la Terre à Alexandrie qui a brûlé !

— Tout a été perdu ? demande Béatrice.

— Non, parce que rien n'est jamais perdu. Tout existe dans la deuxième section où nous sommes ! Nous sommes sous le monument du Sphinx, là où l'air est pur, là où le temps n'existe plus.

— La bibliothèque d'Alexandrie. Pourquoi sommes-nous ici ? demande Béatrice tout en saisissant quelques livres qu'elle aperçoit autour d'elle.

— Parce qu'ici, tout existe.

Béatrice ouvre un livre au hasard.

— Le secret de la grande pyramide. Quoi ? Ils ont traduit tous les livres en français.

— Dans cette pièce, il n'y a plus de langue. Tout s'imprègne directement dans notre cerveau et on comprend le sens de chaque signe, de chaque langue et de chaque pensée.

Vladana l'amène plus loin et lui montre une section où des livres relatent la création du monde et de l'apparition de la vie sur Terre.

— La vie sur Terre est un paradis ! lit Béatrice à voix haute. Vladana, tout est raconté ici.

Vladana lui retire doucement le livre des mains et le replace sur l'étagère devant elle.

— Je te promets de t'enseigner comment revenir ici. Pendant des nuits et des nuits de rêve, tu pourras venir lire ici tout ce que tu voudras mais aujourd'hui, il faut faire vite... Nos amis ont besoin de nous... Jamais, je n'ai senti Nick si loin. Tous mes moyens pour entrer en communication avec lui n'ont servi à rien depuis que les amis se sont perdus. Il ne nous reste que...

Vladana se tait.

— Vite, viens avec moi... J'ai peur que Nick, Martin et Marco soient en danger.

* * *

Nick se décide à arrêter de manger des pommes après en avoir dégustées huit.

— Quel délice ! se dit-il.

Il ne se souvient pas en avoir autant mangées.

Depuis huit heures que Nick, Martin et Marco sont enfermés dans les souterrains de la pyramide et ils s'y sentent si bien. Pourtant, ils sont prisonniers ici. Son amie Béatrice, ses parents, sa tante Vladana lui manquent mais à part ces coups de cafard, il adore se balader dans les galeries souterraines de la pyramide.

Mahmoud et Martin ont trouvé un terrain de soccer. Sur ses rebords, ils ont trouvé la Coupe de Cristal. Martin n'a cessé de s'amuser avec la Coupe qui se révèle être un ballon de cristal avec lequel ils peuvent jouer : quelle révélation. Après un certain temps, Marco est tombé dans un sommeil léger d'où il ne sort que pour manger ou pour réfléchir car il ne se sent pas très bien. Quant à lui, Mohamed a trouvé une rivière remplie de toutes les pierres précieuses inimaginables ; ce qui le comble évidemment. Martin, Nick et leurs amis, comprenant rapidement qu'il n'y a ici aucune issue, ont commencé, sans s'en rendre compte, à se laisser prendre au piège de la pyramide.

Il s'agit du piège le plus habile qui soit. C'est le piège de l'illusion.

Lentement, primordialement, ceux qui errent ou se perdent dans le labyrinthe de la grande pyramide, y trouvent une prison dorée. Ils vivent dans un monde d'illusions qui les poussent à croire qu'ils ont ici tout ce qu'ils souhaitent, tout ce qui les rend heureux. Au fil des jours, ils découvrent des lieux et des objets qui apparemment les comblent. Ce qui, tout doucement, les amène à oublier d'essayer de trouver une sortie coûte que coûte ou un chemin vers le temple d'Osiris puis éventuellement le retour à la vie.

Martin a trouvé un terrain de football parfait. Au fil des heures et même des jours puisque le temps ici n'existe pas, il y a retrouvé des soldats égyptiens, perdus eux aussi, qui ne maîtrisent pas la langue française mais qui comprennent toutefois tout ce que Martin leur demande concernant le jeu. Ils jouent, peaufinent leur technique et simulent des situations de jeu, au grand plaisir de Martin. Ce dernier en oublie même progressivement le tournoi de Paris et sa quête de la Coupe de Cristal. La Coupe, il l'a trouvée car elle était ici, croit-il. Cette Coupe est en fait ce ballon lumineux, sculpté dans le cristal, tellement malléable et qui obéit à toutes ses manœuvres des pieds et de la tête. Martin, perdu au fond de la pyramide, vit le bonheur suprême.

Nick, lui, découvre chaque jour une nouvelle galerie où, il n'en revient pas, toutes les œuvres d'art créées par l'homme se retrouvent. Les peintures de Van Gogh, Degas, et combien d'autres, s'y retrouvent. Dans une autre aile, il découvre des musiciens dans de petites pièces qui répètent en jouant du clavecin, du violon ou de la viole de gambe, entre autres. Amoureux de la musique, il les a observés puis leur a parlé et, à sa grande surprise, il a discuté avec les plus grands : Mozart, Liszt, Bach, Brahms, Messiaen et combien d'autres. L'art, qui l'a toujours attiré, envahit de plus en plus toutes les galeries qui entourent le terrain de football. Chaque jour, quand une pensée de tristesse le ramène à Béatrice ou Vladana, un nouveau génie de l'histoire de l'homme se présente à lui.

Hier, au troisième jour de sa présence ici, ou au centième il n'est maintenant sûr de rien, il s'est entretenu avec Léonard De Vinci qui lui a montré ses dernières inventions. Tout le génie humain est là, en chair et en os. Quel bonheur! Nick vit les plus beaux moments de sa vie et tout ce dont il a toujours rêvé. Imaginez un seul instant rencontrer les plus grands des plus grands de toute l'histoire de l'humanité dans les domaines qui vous plaisent le plus. Nick n'y voit que du feu. Martin aussi. Cette prison, puisqu'ils sont emprisonnés dans la pyramide, les enferme encore un peu plus chaque jour en leur donnant l'impression qu'ils ont accès à tout ce qu'ils souhaitent. L'énigme du sphinx n'est pas plus compliquée que cela: le sphinx les laisse croire qu'ils sont au paradis alors que la vie continue sur Terre, sans eux.

Marco, lui, pour oublier ses liens avec Rohman et son larcin entourant la boule de feu, sombre de plus en plus dans un sommeil ininterrompu. Ce faisant, ils oublient de chercher à revenir sur Terre. Ils oublient qu'ils sont en prison.

* * *

Vladana continue à marcher dans un couloir bondé de centaines de milliers de livres.

— Sommes-nous toujours dans la bibliothèque d'Alexandrie? demande Béatrice en s'arrêtant à tous les trois ou quatre pas.

— Non, répond Vladana tout en continuant à marcher d'un bon pas. Viens, Béatrice, puisque le temps presse.

— Comment ça, le temps presse ? Comment sais-tu cela ?

— Viens, viens... Nick, Martin et son père sont en train de disparaître. Mahmoud et Mohamed aussi. Vite, vite !

Vladana franchit de grandes tapisseries qui font office de porte ou de liaison. Béatrice, partageant sa quête, la suit mais aimerait tant pouvoir consulter ces innombrables ouvrages qui tapissent les murs de cette bibliothèque.

— Vladana, dit parfois Béatrice très fort, c'est certain qu'on continue à avancer mais dis-moi seulement ce qu'il y a dans chaque pièce au fur et à mesure qu'on les traverse.

Vladana se retourne donc parfois et, tout en continuant à marcher, lui dit :

— Ici, c'est la bibliothèque de toutes les religions.

— Ici, se trouvent tous les livres sur le moyen-âge en France.

— Ici, on retrouve tout ce qu'on veut savoir sur tous les animaux.

— Ici, on parle de chaque pays.

— ... les grandes guerres.

— ... la vie des enfants.

— … le XXe siècle.

— … Jésus, Bouddha, Mahomet et le Dalaï-Lama.

Pendant des heures et des heures, Vladana initie un véritable marathon qui lui fait traverser tant et tant de salles dans la bibliothèque que Béatrice sait qu'elle en aurait pour plusieurs vies si elle voulait en explorer en profondeur qu'une seule.

— Ici, c'est la bibliothèque qui documente les grandes inventions humaines.

Vladana se précipite alors vers une autre pièce où elle dit très fort :

— Ici, on retrouve toutes les biographies de tous les humains ayant vécu ou qui vivront sur la Terre.

Vladana continue son chemin mais Béatrice s'arrête… Puis, Vladana s'arrête enfin, se retourne et dit à Béatrice :

— On y est ! C'est ici que je voulais t'amener ! D'habitude, j'y viens en pensée, à la vitesse de l'éclair mais je n'ai pas eu le temps de te montrer… et le sphinx m'a retiré tant de mes possibilités ! Alors voilà… on y est…

— Je vais pouvoir y revenir ?

— Oui… sûrement… enfin peut-être.

— Peut-être ?

— Béatrice, la boule de feu qui a été volée ; c'est du sérieux. Elle représente une lumière qui nous guide toujours quand on cherche à comprendre des mystères. Cette boule mène à la Coupe de Cristal. Cette lumière est disparue. J'espère qu'elle n'est pas déjà détruite. Nous devons la retrouver ! Retrouvons nos amis, ils nous aideront !

Vladana cherche partout en consultant des dizaines de livres.

— Qu'est-ce qu'on cherche ? lui demande soudainement Béatrice.

— Le livre de la biographie de Nick, celle de Martin, celle de son père, de Mohamed ou de Mahmoud.

— Il y a un livre sur chacun d'eux ?

— Oui, nous allons ainsi savoir où ils se trouvent présentement.

— Quoi, le livre parle du présent ?

— Du présent, du passé et du futur !

— Est-ce qu'il y a un livre sur moi ?

— Oui ! Vite, il faut trouver... ici, rien n'est classé très simplement. Il faut trouver notre propre façon de chercher les livres.

— Charles Darwin, Claude Séguin, Vaclav Hemski... Ils n'ont aucun rapport et ils sont classés côte à côte. Des milliards de livres jonchent ces étagères. Il faut trouver le lien.

* * *

— Mahmoud… viens, viens ici.

— Non, Mohamed. Il faut revenir au terrain de football. Nos amis canadiens doivent nous chercher.

— Viens, je te dis… je veux te montrer ce qu'il y a de l'autre côté de ce mur !

— Tu pars toujours trop longtemps ; ils s'ennuieront de nous !

Malheureusement, Mahmoud a tort. Martin, Nick et Marco sont maintenant totalement englués dans la prison du labyrinthe. Ils vivent tous les trois dans le paradis de l'illusion. Plus rien ne les intéresse que ce qu'ils trouvent ici.

Nick a même découvert une galerie ultramoderne où il peut à sa guise envoyer et recevoir des courriels. Depuis hier, il a écrit à Béatrice qui l'assure que tout va bien et qu'elle aussi vit une vie de rêve. Elle lui parle même par le biais d'une caméra électronique et Nick est de plus en plus heureux et libéré de voir que tout le monde se porte bien. Il peut donc en toute liberté continuer à rencontrer tous les créateurs de l'histoire de l'humanité.

Nick ne se rend pas compte de la supercherie. Tout est faux ici et Béatrice n'est pas celle qui répond aux courriels. La prison et toutes les illusions l'ont piégé comme une araignée avec sa toile.

Mohamed, de son côté, fidèle à sa quête de trésors, a compris qu'il peut traverser les murs et rejoindre chaque jour des lieux fabuleux. Entraînant malgré lui Mahmoud, il s'engouffre dans un couloir doré extrêmement prometteur. Découvrant trésors par-dessus trésors, Mohamed rassemble dans une petite boîte placée tout près du terrain de foot une quantité impressionnante d'objets dorés. Mahmoud a réussi à convaincre son cousin de ramener ses trésors tout près du terrain pour pouvoir continuer à voir Nick, Martin et son père.

Mahmoud, lui, voyant bien que tout le monde devient fou autour de lui, réalise qu'il n'a aucun autre désir que d'aider ses amis. Il s'assure donc de les empêcher de se perdre dans les labyrinthes de la pyramide en les obligeant à revenir au point central pour manger à chaque repas.

Aimant le couscous, adorant les mets italiens et raffolant des sushis, il ne se rend pas compte à son tour de son emprisonnement et commence à organiser toutes ses journées autour de la planification des repas. Croyant être le seul à ne pas être emprisonné, il oublie peu à peu sa liberté en comblant tous ses désirs culinaires.

Pour l'éternité, la toile d'araignée de la grande pyramide de Khéops les a enfermés.

Chapitre 3

La montagne sacrée

Béatrice n'a pas pris le temps d'appeler Vladana quand elle a finalement trouvé le livre sur Martin. Elle avait eu l'idée de se concentrer sur l'essence de chacun. En pensant à Martin, elle pense à l'activité, au mouvement, à la vie. Elle vit alors dans un coin de la pièce un carrousel où les livres tournent. Elle s'en approche.

Un convoyeur transporte les livres d'un endroit tout noir au fond d'une pièce comme s'ils sortaient d'un mur. Beaucoup plus loin, le convoyeur mène les livres vers un étage, deux, trois... une suite infinie d'étages en contrebas. Béatrice a beau observer les titres et les noms écrits sur les pages couvertures, elle se rend compte qu'en deux heures, non seulement le livre sur Martin n'est pas passé sur le convoyeur mais qu'aucun de ces livres ne repasse une deuxième fois. Est-elle au bon endroit ? Si oui, quand le livre recherché passera-t-il devant ses yeux ? Dans une semaine, un mois, une année ? Si un livre passe à toutes les secondes, ça prend douze jours pour qu'un millier de livres passent. Il y a maintenant plus de six milliards d'humains sur la Terre. Cela prendra donc deux cent seize ans pour que tous les livres défilent sur le convoyeur devant elle.

Deux cent seize ans, c'est beaucoup trop long, se dit-elle. Comment y arriver plus rapidement ? Elle a soudain la brillante idée de prendre un livre. Béatrice voit que ce livre parle de Maria, une petite Mexicaine. Béatrice imagine un peu le Mexique dans sa tête et, aussitôt, un nouveau convoi sort du sol transportant les livres relatifs au Mexique.

— Ah ! Voilà. Ils sont classés par pays. Ou non, ils sont plutôt classés comme de la façon que j'imagine. Oui, c'est ça ! Les livres sont classés par pays ! se répète-t-elle dans sa tête.

Elle remet le livre de Maria sur le convoi qui redémarre et au bout d'une demi-heure, elle trouve enfin le livre d'un Canadien. Puis elle voit que le convoi canadien s'ouvre sur d'autres convois qui classent les biographies par province, par ville, par quartier puis par rue où les gens habitent. Enfin, elle vient enfin de trouver le livre écrit sur la vie de Martin.

Et voilà maintenant Béatrice assise au milieu de ce convoi de livres qui s'entrecroisent pendant qu'elle consulte la biographie de Martin. À chaque page qu'elle ouvre, elle voit, en trois dimensions, des scènes où Martin est âgé de tous les âges.

Finalement, elle trouve le chapitre le plus volumineux qui raconte son histoire du joueur de football. Quand Vladana la rejoint finalement, le livre de Nick dans les mains, Béatrice est en train d'observer Martin jouant au football en plein cœur de la pyramide de Khéops.

— Regarde, Vladana, Martin joue, joue et joue pendant des jours, des mois, voire même des ans. Il ne vieillit pas. On dirait qu'il est dans un immense jeu vidéo en trois dimensions.

— Même chose pour Nick, dit Vladana en faisant référence au livre qu'elle tient sans les mains.

— Quoi ? Nick joue au football ?

— Non, non… Nick, lui, rencontre tous les grands esprits de l'histoire de l'humanité… Regarde, il s'agit de Mozart, de Debussy, de Dvorak, de Galilée, et j'en passe…

— Il doit être heureux !

— Ils sont heureux. Mais ce qu'ils ignorent c'est qu'ils ne décident plus rien. Ils ont perdu le pouvoir de choisir. Ils vont répéter et répéter les mêmes choses pendant des années, des siècles… Le temps et la vie sur la Terre pour eux n'existent plus. Le monde de la pyramide a été construit pour les morts.

— Ils sont donc au paradis… mais morts ?

— Oui !

— Mais si c'est écrit dans leur biographie, il n'y a rien à faire. Et pendant ce temps-là, le tournoi de la coupe du monde commence dans trois jours à Paris. Les deux équipes de l'Égypte et du Canada doivent s'envoler vers Paris demain soir. Le Canada jouera dans trois jours sans Martin car la vie continue sur Terre.

— Béatrice… Le livre que tu tiens est véritable mais en même temps, il peut être complètement faux.

— Quoi ? Vrai ou faux ? Je ne suis pas sûre que tu ferais un bon prof de maths ! Les élèves, ceux qui ont dit vrai ont raison et ceux qui ont dit faux ont aussi raison.

Les deux filles éclatent de rire. Ce moment de détente leur fait du bien. Vladana entraîne alors Béatrice vers le convoyeur relié à la rue où habite Martin.

— Regarde, Béatrice. Il y a un nouveau livre écrit sur la vie de notre ami Martin.

— Quoi ?

Béatrice saisit le livre, le compare au premier.

— Ils sont parfaitement identiques.

— Oui... mais il peut changer. Si les principaux intéressés changent quelque chose dans leur vie, leur futur en sera modifié et par conséquent, le livre aussi.

Béatrice regarde tout autour d'elle et se demande comment elle pourra rejoindre ses amis et les aider à sortir de leur prison. Vladana se sent aussi impuissante. À toutes les trois ou quatre minutes, Béatrice trouve un nouveau livre sur Martin et, tout y est toujours encore identique au premier. Tout à coup, en s'essuyant les mains sur son vêtement, elle se surprend à se demander d'où vient cette humidité. Elle observe le convoi et réalise tout à coup que de petites gouttelettes coulent de chacune des couvertures des livres.

— Vladana... il y a de l'eau.

— Ah ! Oui ?

— Un tout petit peu d'eau sur chacun des livres... et, regarde, les livres sur Martin que j'ai déposés là... ceux que je ne consulte plus sont en train de... Regarde, regarde !

Béatrice et Vladana se rendent compte alors que les livres laissés à l'abandon se liquéfient très lentement. Ils se transforment en fines gouttelettes d'eau. Elles décident donc de prendre une grande quantité de livres et de les empiler. En peu de temps, commence à se créer un petit filet d'eau qui s'écoule dans une direction très précise. Reprenant le même manège à plusieurs endroits avec d'autres livres, elles constatent que les petits filets d'eau forment en fait des ruisselets.

— Viens, Vladana… on les suit…

— Oui, l'eau est le mouvement, c'est la vie...

— Ça va nous mener où?

— Je ne sais pas mais on y va! dit Vladana très fière des trouvailles de sa jeune amie.

Le tout petit ruissellement les mène au bout d'au moins d'une promenade de deux kilomètres à travers des centaines de milliers de livres, voir des millions de livres, à un petit ruisseau. Vladana sourit de plus en plus à mesure qu'elles avancent au milieu de l'eau fraîche qui coule.

— Regarde, Béatrice. Chaque petite gouttelette d'eau représente une bulle.

— Au début, observe Béatrice, je croyais qu'il s'agissait de gouttes d'eau mais regarde, il y a des petites bulles et des plus grosses. Il y en a de toutes les couleurs.

— Nous sommes vraiment privilégiées d'être ici, dit Vladana, le visage illuminé de joie. J'ai déjà entendu parler de ces bulles ; elles représentent des pensées, toutes les pensées de tous les êtres vivants.

— Ah ! Oui ?

Le petit ruisseau se transforme progressivement en rivière. Bien qu'elles soient entourées de murs et de plafonds de pierres, Béatrice et Vladana réalisent qu'une lumière de plus en plus vive les entoure.

Lentement, accumulant toutes les pensées qui sortent en gouttes des livres qui sont remplacés par des nouveaux, la rivière grossit.

— Vladana, regarde.

Au-dessus, le plafond de pierres, devenu de plus en plus haut, laisse maintenant passer la lumière du soleil par de petits trous. Puis le ciel bleu et le soleil brûlant prennent lentement toute la place. Elles sont dehors.

Le soleil est si fort que les gouttes d'eau de la rivière s'évaporent. Une brume de plus en plus épaisse se forme. Vladana et Béatrice marchent au milieu de toutes ces gouttelettes en suspension qui retournent vers le ciel en bulles d'eau. La rivière redevient ruisseau, ruissellement, puis vapeur. Vladana et Béatrice recommencent à voir le ciel brûlant et à marcher sur un terrain entièrement sec. Autour d'elles, tout est resplendissant. Elles pensent marcher encore sur de la pierre mais à mesure que leurs yeux s'habituent à cette lumière ultra-brillante, elles réalisent qu'elles sont entourées de verre et de cristal.

Sur un ciel bleu et un soleil éclatant, elles marchent au milieu d'un palais d'une blancheur époustouflante et aux formes surprenantes. Vladana et Béatrice se promènent au milieu de ces collines de verre blanc qui se métamorphosent en montagne accueillante à mesure qu'elles grimpent un peu partout et empruntent des dizaines de sentiers. Elles découvrent des beautés lumineuses jamais imaginées. Sans se dire un seul mot, elles savent toutes les deux qu'elles sont bien. Hors du temps, hors de toute pensée, libres d'aller où bon leur semble, elles vivent au milieu d'une joie intense et profonde.

— Vladana ! Quelqu'un est là ! dit soudain Béatrice en pointant du doigt une personne assise un peu plus loin.

Elles s'approchent rapidement d'une dame tout de blanc vêtue qui est assise sur une chaise devant une simple table. Dans ses mains, elle tient une plume et écrit dans un livre.

Béatrice s'apprête à ouvrir la bouche mais la dame arrête d'écrire et la regarde droit dans les yeux, lui sourit, puis lui indique un endroit où aller.

Béatrice et Vladana suivent l'indication et commencent à apercevoir cinq dames, toutes également de blanc vêtues, qui écrivent, installées à divers endroits : l'une se trouve sur un rocher suspendu, l'autre sur un petit sofa blanc, une autre encore est couchée par terre.

Toutes les dames indiquent aux deux visiteuses de se diriger vers le cœur de la montagne.

Là, du haut d'un tout petit promontoire, Vladana et Béatrice admirent un spectacle inimaginable. Devant elles sur au moins des dizaines de kilomètres et donc jusqu'à perte de vue, leur regard embrasse un magnifique panorama où des hommes et des dames vêtus en blanc écrivent sans arrêt mais calmement dans des livres. Ils sont juchés et installés de mille et une façons et ils œuvrent dans la joie et un silence jamais entendu auparavant par Béatrice.

Une dame se retourne vers Vladana pour lui poser une question mais avant même d'ouvrir la bouche, un petit garçon aux cheveux noirs s'approche des deux femmes.

— Bonjour Béatrice, bonjour Vladana. Je suis Maïa, votre guide. Vous n'étiez pas attendues ici mais puisque vous y êtes.

— Où sommes-nous? demande Béatrice.

— Nous sommes là pour vous servir, mademoiselle Béatrice. Toutes vos questions représentent pour nous de grands plaisirs. Nous ferons tout en notre pouvoir pour répondre à toutes vos interrogations.

— Tout d'abord, qui êtes-vous ?

— Je suis un ange : l'ange Maïa. Je travaille ici parce que c'est ici que j'aide le mieux. Tous ceux-là et celles-là sont des anges aussi. Il y en a toujours qui arrivent et qui partent.

— Vous n'avez pas d'ailes ?

— Si, mais si, j'ai des ailes mais vous ne les voyez pas, je crois. Vous ne voyez pas tout. Vladana voit beaucoup plus de choses que vous.

Béatrice se retourne vers Vladana qui marche au milieu d'une dizaine de dames qui insistent pour lui montrer un grand mur blanc.

— Qu'est-ce qu'elle fait ?

— Mademoiselle, je vous répondrai tout à l'heure. Vous savez que vous êtes belle ?

— Moi ? Non !

— Est-ce que je peux peigner vos cheveux ?

— … Non… mes cheveux sont laids et emmêlés.

— Assoyez-vous.

Deux jeunes filles s'approchent et installent une petite chaise et des miroirs. Béatrice s'assoit et les jeunes filles commencent à la coiffer.

— Béatrice, voici Myrna et Louna.

— Bonjour... faites attention... mes cheveux sont vraiment toujours attachés et ça...

— Chut ! Chut !

— Laisse-les faire, lui dit Maïa... ici, on écrit les livres de tous les humains, toutes les pensées sont gardées en mémoire, tout est là... Il y a quelqu'un qui s'occupe de l'histoire de chacun de vous. Moi, je m'occupe de toi.

— Pourquoi ?

— Parce que tu es merveilleuse. Tu as tellement de force, tu me fais rire toujours... et tu es vraiment très belle.

— Non.

— C'est vrai que même toi, tu l'ignores.

— Mais... je suis certaine que je me trouve dans un rêve. Les anges n'existent pas et ce serait impossible de tout écrire toujours.

— Myrna écrit ton passé... moi, ton présent et Louna, ton futur.

— Mon futur ?

Béatrice trouve tout cela fantastique. Elle se demande comment elle a pu se rendre dans un rêve comme ça sans s'en rendre compte mais elle décide de jouer le jeu à son avantage.

— Louna, j'adore cela. Je voudrais bien séjourner ici durant des siècles. Des anges ! J'adore le concept mais pourrais-tu me dire dans mon futur rapproché comment je fais pour retrouver nos amis Martin et Nick qui sont emprisonnés ?

— C'est facile, dit Louna. Je vais te montrer mais avant, laisse-moi terminer ta coiffure.

— Bof ! C'est que tu as des doigts de fée… euh… d'ange, excusez-moi mais je ne suis pas certaine d'être à l'aise avec… euh…

Béatrice s'arrête brusquement de parler. Elle se regarde dans le miroir et n'en revient tout simplement pas.

— C'est… Moi ?

— Tu es vraiment belle !

— Que m'avez-vous fait ?

Louna entraîne Béatrice vers le grand mur blanc où Vladana discute toujours avec trois dames.

— Vous êtes certaine que Béatrice peut venir avec moi ? Elle n'est pas éternelle.

Une vieille dame s'approche de Vladana et lui dit :

— Nous la protégerons. Nous vous fournirons un éclair de protection, qui vous protégera aussi, Vladana, car le sphinx vous a retiré des pouvoirs… Nous allons vous aider à les regagner ! Votre mission est toute spéciale dans l'histoire de l'humanité.

Béatrice regarde derrière Vladana et aperçoit Martin sur le mur blanc. Il joue au football en compagnie d'un groupe de joueurs égyptiens.

— Béatrice, dit Louna, dans un futur rapproché, tu prendras la main de Vladana et de deux anges qui te feront vivre un voyage à travers le temps. Tu auras peur…

— Chut, chut, elle n'a pas peur, lui dit Maïa, le futur est dorénavant devenu le présent.

— J'ai peur ! dit Béatrice.

— Je te l'avais dit ! dit Louna.

— Béatrice, dit Vladana, nous devons y aller. Nos amis ont tout oublié de leurs vies. Ils veulent rester dans la pyramide pour toujours.

— Allons-y !

— Prends ton élan, tiens ma main et cours avec nous. Ici, au lieu du dessin, nous plongeons dans un monde et nous sommes entourées de deux véritables anges. C'est merveilleux !

Les deux dames leur prennent les épaules et courent avec elles vers l'immense rocher.

— J'ai peur ! crie Béatrice.

Les deux dames leur donnent tout à coup une poussée qui a pour effet de les propulser à une vitesse prodigieuse.

— AAAAAH ! hurle Béatrice, tenant toujours fermement la main de Vladana.

CHAPITRE 4

Sortir du gouffre

Béatrice ressent un violent choc à la tête et tombe lourdement au sol.

Martin se profile à son chevet. Il vient de malencontreusement atteindre son amie à la tête avec le ballon de cristal.

— Béatrice ! Que fais-tu ici ?

Béatrice a perdu conscience et elle demeure étendue au sol. Vladana, et bientôt Nick, Mahmoud, Martin et Mohamed sont présents à son chevet. On la transporte sur les lignes de côté dans la petite enclave d'un rocher où Marco dort encore.

Au bout d'une heure, Béatrice n'a toujours pas repris ses esprits.

Complètement emprisonnés dans leur tête par les forces de la pyramide, Martin, Nick, Mahmoud et Mohamed ont tous une envie folle de retourner à leurs activités. Hypnotisés dans leurs désirs, ils tournent en rond et cherchent à quitter la petite pièce pour courir à leur monde irréel. Ils ne ressentent aucune émotion pour leur amie blessée.

Vladana, en colère contre eux, leur interdit de bouger. Des dizaines de fois, elle leur répète qu'ils se sont laissés prendre par le monde d'illusions de la pyramide.

— Mahmoud, si tu continues à manger comme ça, tu vas devenir énorme et tu resteras dans le labyrinthe pour l'éternité.

— Ce n'est pas vrai ! dit Mahmoud en se regardant dans un miroir.

— Ne te fie pas aux miroirs. Tout n'est qu'illusions, ici. Mohamed, tous ces trésors ne vaudront plus rien, dehors. Martin, ces joueurs font tout ce que tu veux... Si tu reviens à la vie, tu vas voir que le vrai jeu est beaucoup plus compliqué mais beaucoup plus beau aussi. La vie est à l'extérieur. La vraie vie. La pyramide ne renferme que ceux qui sont morts. Vous avez été attirés par la mort !

— Moi, dit Martin en reprenant son ballon, j'ai retrouvé la Coupe de Cristal et je vais continuer à jouer ici.

Il s'apprête à retourner sur le terrain où les Égyptiens l'attendent sans bouger. Vladana, découragée, n'a même plus le courage d'insister.

— Martin, tu ne bouges pas.

Dans ce monde de pierre, la voix de Béatrice, quoiqu'encore sonnée, résonne très fort et en écho.

— Béatrice ? répond Martin, retrouvant un tout petit peu ses esprits.

— Martin… tout ici est faux. C'est un passage.

Béatrice saisit le ballon de cristal et le lance vers un grand rocher.

— Non, ne fais pas cela ! crie Martin.

Le ballon se fracasse en mille miettes.

— Nick, les gens que tu rencontres ne vont te dire que ce que tout le monde sait déjà. Tu n'y trouveras ici que leur portrait, leur fantôme. Regardez-vous. Regardez Marco. Vous êtes des morts-vivants… comme lui.

Les paroles de Béatrice les touchent. Ils hésitent un peu mais le pouvoir hypnotiseur de la pyramide est si fort qu'ils repartent tous vers leurs activités respectives.

— Nick, Martin, crie Béatrice, attendez. Martin, je détiens le livre de ta vie, ici.

Elle court le rejoindre et lui montre le livre qui raconte sa vie et son futur. Elle transporte aussi les biographies de Nick, Mahmoud et Mohamed.

Pendant que les quatre s'assoient et lisent leurs pensées, leur passé, leur présent et, encore plus dramatiquement, leur futur qui ne change pas et ne changera jamais, ils réalisent tous que la bête de la pyramide les a pris au piège.

Vladana les félicite de cette prise de conscience… puis elle les attire tout près d'elle. En caucus, elle dit :

— Nous ne devons plus jamais nous quitter d'un centimètre avant d'être sortis d'ici. Si le piège de la pyramide est si extraordinaire, c'est qu'il cache un trésor vraiment inouï. Ce trésor, il faut le trouver. Il le faut. C'est la seule façon de sortir d'ici.

— Si au moins on détenait un indice.

— Béatrice ? dit une toute petite voix à l'oreille de Béatrice.

Béatrice se retourne vers la petite voix qui s'adresse à elle.

— Maïa ? Que fais-tu ici ?

— Tu es vraiment…

— Belle, oui, je le sais !

— Non, c'est vrai Béatrice. Tes cheveux sont vraiment beaux ! ajoute Nick, appuyé par les trois autres.

— Superbe ! dit Martin.

— Béatrice, reprend Maïa, tu es partie avec les livres de tous tes amis et tu n'en as pas le droit. Je viens donc les reprendre pour les retourner dans la grande bibliothèque de la vie.

Tout le monde remet sa biographie à Maïa qui s'apprête à quitter lorsque Béatrice l'interpelle.

— Maïa, peut-on te suivre ?

— Impossible. Je suis un ange. Je ne peux pas...

— Maïa... est-ce que quelqu'un peut te subtiliser tes ailes, te réprimander ou...

— Non, non...

— Maïa, sors-nous d'ici.

— Personne, aucun humain n'est jamais sorti d'ici, désolée... vous êtes morts, en fait ! La mort, c'est ça ! dit elle en pointant du doigt Marco.

Maïa leur montre un livre de pierre dont les pages sont trouées et les mots illisibles.

— C'est sa biographie... tout se désagrège tranquillement... il a perdu sa vie en s'associant avec Rohman... il ne s'en sortira probablement pas... il était déjà venu et il a réussi à sortir d'ici mais il a vécu si longtemps sur la Terre en tant que mort-vivant. Il n'y a que la Coupe de Cristal qui peut l'aider ! Ça, il le sait ! Mais il lui faut remporter la Coupe !

Lui, il a tout perdu : la Coupe, son pays, sa femme, sa vie !

— Mais pas son enfant ! dit Martin en s'approchant de son père. Moi, je vais la gagner pour lui !

— Impossible puisque tu es mort, je crois ! Tu restes ici ! Votre présence dans le temple d'Osiris a perturbé tant et tant de choses. Les anges ont dû réécrire des milliards de livres. Tout a changé, partout, la lumière a disparu du monde. Vous savez que même la Coupe de Cristal est maintenant devenue une folie (À lire dans les prochaines aventures de *Nick la main froide épisode 14 : La Coupe de Cristal*).

— Mais Maïa, je suis certain que tu peux nous aider. Tu es un ange.

— Oui et je m'occupe de toi en particulier.

— Alors, tu sais bien que je dois rejoindre mon équipe de football.

Maïa ouvre grand ses deux bras qui prennent l'allure de grandes ailes blanches.

— Je sais, je sais, Martin. Tout a été changé et perturbé ! Regardez sur la Terre.

Ses deux ailes se rejoignent et deviennent un grand écran de cinéma sur lequel des images se forment.

* * *

À Alexandrie, sur le terrain de football, les deux équipes continuent leur entraînement. Monsieur Hamid, l'entraîneur de l'équipe des White Wings du Canada, discute avec son frère, l'entraîneur de l'équipe des Sphinx d'Égypte.

— Qu'est-ce qu'on fait, frérot ? Allons-nous à Paris ?

— Nous ne pouvons pas lâcher comme ça. Nos jeunes ont déjà lâché mais nous deux, nous ne pouvons pas.

Sur le terrain, en effet, il n'y a aucun sourire sur les lèvres des joueurs. Ils n'arrivent pas à assimiler les tactiques de jeu, tellement ils sont perturbés par tout ce qui est arrivé depuis leur arrivée ici, à Alexandrie. Après seulement une journée d'entraînement, un accueil chaleureux et une fête fantastique, Martin, Nick, Béatrice, Marco, Mohamed et Mahmoud ont disparu.

Alors, pendant tout leur séjour, ils ont bien sûr visité les splendeurs de l'Égypte ancienne, le monument du Sphinx, les pyramides, le désert, les fouilles archéologiques mais ils l'ont fait en recherchant leurs amis. Ils ont collaboré presque jour et nuit pour aider les policiers à vérifier telle ou telle piste. Tous ces jeunes, qu'ils soient d'origine canadienne ou égyptienne, sont devenus de grands amis durant cette épreuve et ils se sont maintenus en grande forme physique. En effet, toutes ces randonnées pour retrouver les disparus, toutes ces échelles à monter et à descendre, ces descentes dans les creux de vallées, ces promenades dans la chaleur du désert, cette concentration unique qu'ils ont dû développer pour essayer de trouver des indices,... tout cela contribuera soit à détruire complètement leur tournoi, soit à améliorer leur jeu d'ensemble. Qui sait ?

Toujours est-il que les deux frères Hamid et tous les membres des deux organisations des équipes le constatent bien, tout le monde est triste aujourd'hui. Car l'heure est grave puisqu'ils doivent décider s'ils se rendent au tournoi à Paris ou non.

— Frérot, dit monsieur Hamid, qu'est-ce qu'on fait ? Nous les traînons de force ?

Des dizaines de journalistes et de caméramans attendent la fin de l'entraînement d'aujourd'hui pour connaître la décision des deux organisations. Ils ont en effet envoyé des communiqués à toutes les ambassades du monde pour leur faire part de leur décision imminente.

Ce drame a évidemment déjà fait le tour de la planète. Tout le monde attend de voir si les jeunes seront retrouvés. Tout le monde se demande si les deux équipes se rendront tout de même à Paris même si les jeunes ne sont pas retrouvés. Les policiers ont redoublé d'ardeur et selon la rumeur, monsieur

Letourneur aurait vu Vladana et Béatrice mais rien n'est moins sûr et, même si l'archéologue est maintenu en détention puisqu'il devient l'un des suspects aux yeux de tous, il n'y est pour rien. La police égyptienne et l'aide policière internationale qui se sont penchées sur cette affaire ainsi que les détectives amateurs du monde entier, personne n'a trouvé l'ombre d'un seul indice.

— Ils se sont volatilisés ! titrent les journaux.

— Mystère en Égypte !

— La pyramide conserverait-elle encore des secrets ?

Mais tout cela n'est que du vent car pour la plupart des observateurs, les jeunes sont probablement déjà morts. Et plus personne n'a le cœur à suivre un tournoi international de football en pensant à ces morts.

La décision s'est donc prise tout naturellement ; les deux équipes cesseront leurs activités. Les jeunes joueurs seront enfin libérés de tout le fardeau qui leur est imposé.

Le dernier entraînement prend fin et Luc Gélinas, l'entraîneur adjoint de l'équipe canadienne mandaté par les deux pays pour annoncer la décision conjointe, prend la parole. Devant lui, sont regroupés des reporters, des caméramans et des micros reliés aux médias des cinq continents. La planète entière suit les péripéties de cette sombre histoire. Même Rohman a profité d'un peu de répit dans sa relation difficile avec la boule de feu (qui continue de lui faire peur) pour se rendre dans un café pour suivre à la télévision le dénouement de cette affaire. Sourire en coin, il regarde Luc Gélinas annoncer la fin des attentes.

— Bonjour aux supporteurs du monde entier. Au nom de Martin, Mahmoud, deux joueurs extraordinaires malheureusement disparus et au nom de leurs amis Nick, Béatrice, Mohamed et Vladana (notez que plus personne n'ose prononcer le nom de Marco ou Baktush Amar pour ne pas s'attirer les foudres des parents ou des gens en général qui le croient coupable), nous vous remercions de votre appui. Nous aimerions vous annoncer qu'ils ne sont pas disparus et que tout cela n'est qu'une mascarade. Nous voudrions vous annoncer que quelqu'un quelque part a enfin retrouver leurs traces et que nos disparus sont sains et saufs et que nous nous envolerons tous comme prévu pour Paris à la conquête de la Coupe de Cristal pour l'amour du sport. Mais ce n'est pas ce que je suis venu vous dire, malheureusement. Les disparus sont toujours introuvables. Les Sphinx de l'Égypte et les White Wings du Canada n'iront pas à Paris. Ils ne participeront pas à ce tournoi extraordinaire qui, pour la première fois, remettra aux meilleurs joueurs du monde dans la catégorie des douze ans et moins la célèbre Coupe de Cristal qui sortira de son musée.

Tout le monde sait pertinemment que de grands scandales dans le monde du football professionnel ont terni la tenue de grandes compétitions. Des gageures illégales étaient organisées, des tentatives d'assassinats avaient été perpétrées, si bien que la Coupe de Cristal avait été remisée au musée. Les autorités avaient décidé de la ressortir de sa vitrine et de la remettre en jeu pour de bon avec une compétition chez les jeunes. On décide donc de remettre le pouvoir aux jeunes gens, qui représentent bien sûr le futur de l'humanité. Luc Gélinas pense à tout cela et à la tristesse qu'il ressent de ne pas se rendre à cette compétition. Il continue tout de même son discours pendant que dans le monde entier, les autres équipes qui participent au tournoi de Paris réagissent tous immédiatement par courriel.

— Nous sommes très tristes de la situation mais toutes nos énergies sont dirigées vers ces enfants qui n'auront pas la chance de vivre ce voyage unique. Nous allons donc tout mettre en œuvre pour les retrouver et nous vous souhaitons tous un tournoi extraordinaire.

Au moment où Luc s'apprête à quitter le micro sous les applaudissements et les larmes des joueurs, de Leïla et de tous les parents, la femme de monsieur Hamid arrive en courant. Elle tient une pile de feuilles dans les mains.

En direct à la télé du monde entier, on la voit chuchoter le contenu de ces feuilles à Luc qui retourne rapidement au micro.

— Excusez-moi ! dit-il soudain avec un sourire mi-triste. Je ne veux pas vous créer de faux espoirs ; il ne s'agit pas du retour de nos amis, malheureusement. Mais ces messages nous démontrent que les jeunes pourraient peut-être changer le monde si on leur laissait un peu de pouvoir. Nous venons de recevoir des courriels en provenance de quatre, et maintenant cinq, non six pays inscrits au tournoi de Paris qui, par solidarité, ne se rendront pas au tournoi. Je les cite : « Tant que Mahmoud, Martin et leurs amis n'arriveront pas à Paris, la France n'essaiera pas de gagner la Coupe de Cristal. Nous nous mettons tout de suite en mode d'enquête et tous les jeunes de notre pays chercheront à retrouver ces chers disparus. »

Chapitre 5

La solidarité

Maïa baisse ses ailes pendant que l'on aperçoit toujours Luc Gélinas qui reçoit des lettres de différents pays :

— C'est incroyable ! entend-on encore en sourdine pendant que madame Hamid n'arrête pas de lui remettre des feuilles. Nous venons aussi de recevoir l'annulation des équipes du Brésil, de l'Argentine, du Paraguay, du Japon…

Puis, les images disparaissent et Maïa verse quelques larmes en repliant ses magnifiques ailes d'ange. Derrière ses ailes, l'homme-lion, le sphinx en personne, le dieu des dieux est là.

— Alors Martin, dit-il, tu sais que Maïa ne peut pas faire ce que tu lui demandes ?

— Non, je ne savais pas !

— Il est là pour t'aider mais il lui est impossible de transgresser mes ordres. Vous êtes confinés à la pyramide !

Le sphinx se retourne pour disparaître mais Martin le rejoint juste avant et l'interpelle :

— Monsieur le sphinx, dit-il en se retrouvant un peu trop proche de lui et soudainement, il est propulsé quatre ou cinq mètres plus loin. Il se relève et demande : mais vous ?

— Moi ?

— Oui, pouvez-vous faire cesser cette folie, là-bas, demande-t-il au sphinx.

— Folie ?

— Oui, je suis d'accord avec ceux qui ont arrêté les compétitions chez les adultes qui souhaitaient la gloire à tout prix mais là où je ne suis pas d'accord, c'est que maintenant, tous les jeunes qui ne convoitent pas le pouvoir à tout prix ne pourront pas se rendre à Paris. Et c'est très beau Paris, à ce qu'il paraît !

— Oui, Paris est très beau ! répond Béatrice.

— Vous avez raison, Paris est très beau ! dit à son tour le sphinx, toujours très calme.

— Alors, vous nous laissez y aller ?

Le sphinx se tait puis sourit !

Martin veut sauter dans les bras du sphinx mais voyant que celui-ci s'apprête à souffler, il se retourne et saute de joie dans les bras de ses amis.

— Je vous laisse faire ce voyage pour l'amour de ces enfants mais prenez garde, ne vous laissez pas piéger par la soif du pouvoir que procure la Coupe de Cristal sinon, vous reviendrez ici, à jamais ! TOUS !

Le sphinx se gonfle les poumons et commence à souffler. Il crée ainsi autour de lui un véritable ouragan.

Martin crie très fort : « Mais comment peut-on y aller ? »

La voix du sphinx répond : « Maïa peut vous aider ! »

— Moi ? dit Maïa, plus ou moins certaine de ce qu'elle peut faire.

Sans autre forme de réponse, le sphinx disparaît. Tous se questionnent quelques secondes et Maïa ne bouge pas. Puis Béatrice s'approche de l'ange, il lui ouvre les bras et lui demande de rester comme ça.

— Vladana, dit Béatrice, n'est-ce pas que placé ainsi, Maïa ressemble à un sigle, un hiéroglyphe ?

— Mais oui, mais oui, Béatrice, tu es géniale ! Venez, venez tous, placez-vous derrière moi ! Maïa, ne bouge pas puisque nous passerons à travers ton cœur au milieu de tes ailes d'ange et nous plongerons jusqu'au terrain de football situé à Alexandrie !

— Oui, je connais ! dit-il en souriant. Puis il commence à réciter l'incantation :

« Lumières du monde,

Ouvre ta porte à mon esprit

Car mes intentions sont pures.

Toutes les vies, toutes les pensées

Peuvent vibrer et briller de tout leur éclat.

Jamais je ne juge.

Jamais je ne brise.

Jamais je ne détruis.

Lumières du monde,

Ouvre-moi ta porte

Et éclaire mon esprit. »

Tous répètent ces mots et plongent en toute confiance à travers le cœur d'ange de Maïa, entre ses deux ailes.

Chapitre 6

Le retour

La conférence de presse internationale se termine quand Luc Gélinas lit le dernier courriel reçu :

— Le pays hôte, la France, est très triste d'annoncer qu'elle met fin à son tournoi de football.

Les journalistes se sont approchés de Luc Gélinas qui semble très ému. Tous les joueurs des deux équipes s'approchent de lui et l'entourent pendant qu'il termine son allocution en disant : « Ce n'est pas de gaieté de cœur que nous mettons fin à ce tournoi ; ce n'est que partie remise. Mettons plutôt toutes nos énergies à travers le monde pour retrouver nos chers disparus. »

Puis, coup de théâtre : en direct, les spectateurs du monde entier voient Martin arriver en courant à la droite de l'écran, suivi de Nick, Béatrice, Mahmoud, Mohamed et Vladana. Les policiers arrivent et cherchent tout autour des ravisseurs éventuels. Les journalistes tentent de leur parler alors que Luc Gélinas, monsieur Hamid ainsi que tous les joueurs leur sautent dans les bras. À l'écran, apparaît un brouhaha total. Nick saisit le micro de Luc Gélinas et termine le reportage devant près d'un milliard de téléspectateurs en disant :

« On se revoit tous à Paris. Vive la Coupe de Cristal ! »

Épilogue

Marco a aussi plongé tête première en plein coeur de l'ange Maïa. Il a réussi à sortir de sa prison située sous la pyramide. Il est arrivé sur le terrain de football au milieu du délire si bien que personne ne l'a vu. Il se sent ressusciter. Maintenant, il mettra tout en son pouvoir pour réparer les pots cassés. Il a si longtemps côtoyé Rohman qu'il sait absolument où se diriger afin de retrouver la boule de feu.

Quant à Rohman, il est demeuré bouche bée devant l'écran de télévision. Ce retournement de situation ne lui plaît pas du tout. Il sort du bistrot où il s'était installé et se dirige à pas vifs et agressifs vers son petit repaire dans un quartier discret d'Alexandrie. Une crainte horrible l'assaille et il se demande pourquoi il a laissé la boule de feu sans surveillance.

Sa crainte est fondée car au même moment, deux mains saisissent la boule de feu et l'enferment dans un sac noir avant de sortir à toute vitesse de l'appartement de Rohman.

La colère de celui-ci sera terrible lorsqu'il constatera la disparation de sa boule de feu. Gare à ceux qui chercheront à lui mettre des bâtons dans les roues dans sa quête de la Coupe de Cristal à Paris dans l'épisode Nick 14.

TABLE DES MATIÈRES

Achevé d'imprimer sur les presses de
Quebecor World Saint-Romuald.

Imprimé sur du papier Enviro 100% postconsommation,
traité sans chlore, accrédité Éco-logo et fait à partir de biogaz.

certifié

procédé sans chlore

100 % post-consommation

archives permanentes

energie biogaz